Y0-BRW-328

Edvard Munch   Lebensfries

EDVARD·MUNCH
1895

Edvard Munch Lebensfries

46 Graphiken

Mit einer Einführung
von Walter Urbanek

R. Piper & Co. Verlag München Zürich

ISBN 3-492-02088-7
Neuausgabe 1974
34.–43. Tausend 1974
(1.–10. Tausend dieser Ausgabe)

Gestaltung: Klaus W. Koop
Gesetzt aus der Trump-Antiqua
Reproduktion: Thormann & Goetsch, Berlin
Satz, Druck und Bindung:
Graphische Werkstätten Kösel, Kempten
Printed in Germany

Es fällt angesichts der Selbstverständlichkeit, mit der wir heute die Bilder Munchs betrachten, schwer, sich vorzustellen, daß diese Kunst einmal angefeindet wurde, ja Skandale erregte. Als der Verein Berliner Künstler im Jahre 1892 das Werk des Norwegers zum ersten Male in Deutschland zeigte, mußte die Ausstellung am dritten Tag nach der Eröffnung wieder geschlossen werden. Die Mehrzahl der Mitglieder des Vereins – die Akademischen, an der Spitze der Historienmaler Anton von Werner – hatte die Bilder entrüstet abgelehnt. Der Vorfall veranlaßte damals die eigentlich-schöpferischen Kräfte, die Berliner Sezession zu gründen, und Munch kann so gewissermaßen als ihr Vorkämpfer gelten. Über den Einzelfall hinaus aber hatte jene Künstlerrevolte auch etwas Typisches; denn noch immer haben die Jünger von heute die Meister von gestern überwunden, wenngleich es leichter ist, sich ihrer zu erinnern, als sie zu vergessen. Und je weiter

sich einer von der epigonalen Routine seiner Schule entfernt, desto einsamer und größer ist er.
Man hat sich zunächst zu vergegenwärtigen, daß die deutsche Malerei in jenen Jahren in ihrer protegierten und offiziellen Richtung noch immer bei der Historienmalerei hielt, während sich die Fortschrittlichen gerade anschickten, sich von einem sozialen Naturalismus weg in die freiere Atmosphäre eines an französischer Malerei orientierten verspäteten »deutschen Impressionismus« zu bewegen. Nichtsdestoweniger blieben die ästhetischen Richtlinien dieselben, die der dialektische Materialismus seit langem verkündete, jene Ästhetik, die den sprichwörtlich »gut gemalten Kohlkopf« höher einschätzte als (in ihrer eigenen Terminologie) alle romantischen Ausflüchte aus der Wirklichkeit in wissenschaftlich nichtbeweisbares Gebiet. Wie schwer es dieser Malerei wurde, etwas von jener höchstsensiblen und transluziden Geistigkeit französischer Kunst zu erreichen, kann ein ungetrübter Blick auf die Anfänge von Corinth und Slevogt ermessen, und wie unfähig sie sich in der Darstellung des Übernatürlichen erwies, läßt sich an den hilflosen Versuchen einer Verbindung von religiöser Thematik und naturalistischer Gestaltungsweise bei Fritz von Uhde ermitteln.
Aus dieser Blickrichtung gesehen, wird der Berliner Ausstellungsskandal verständlich: für die Akademischen, die das begüterte Bürgertum honorierte, grenzte Munchs Kunst an Blasphemie und Unvermögen, für die anderen stieß sie ein Tor auf, hinter dem die Wetterzeichen einer epochalen Wende aufleuchteten; denn es war auch für sie etwas Unerhörtes, ein künstlerisches Werk einzig und allein aus dem Echo des Gefühls und einer schicksalhaften Erlebnisfähigkeit

aufzubauen und diese Erfahrungen in »Bildern« darzustellen, die in Wahrheit Sinnbilder für alles das sind, worum sich die Wissenschaft vom Menschen und die Psychologie gerade erst zu interessieren begannen. Aus dem innersten Erfülltsein mit Schicksal und Gesichten entsteht in Munchs Werk das Gleichnis einer neuen, der modernen Welt, zumindest in einem entscheidenden Aspekt, wenn wir sehen, wie hier der Determinismus in den Beziehungen von Mensch und Natur plötzlich in das Stadium der unmittelbaren Erfahrung und Ausdrucksfähigkeit tritt. Diese Erfahrungen in Bildern gezeigt zu haben, ist das Verdienst Munchs, den Max Sauerlandt einmal eines der drei großen Feuer – neben van Gogh und Hodler – genannt hatte, die in den letzten 15 Jahren des alten Jahrhunderts angezündet waren.

Edvard Munch wird am 12. Dezember 1863 in Löiten in Hedemarken geboren, einer Tallandschaft nördlich Oslo. Sein Großvater war Pastor, der Vater ehemals Schiffsarzt; ein schwermütiger Mann, der sich nach weiten Reisen im Armenviertel Oslos niederläßt. Die geringen Honorare reichen kaum aus, die siebenköpfige Familie zu ernähren.
Als Edvard fünf Jahre alt ist, stirbt seine Mutter an der Lungen-Tbc, wenige Jahre später die Schwester Sophie an der gleichen Krankheit und eine andere in geistiger Umnachtung. Von namenloser Angst gepeinigt, erwartet der Sensible das gleiche Schicksal. »Wir sind einfach damit geboren«, schreibt er in sein Tagebuch. Den Haushalt übernahm nach dem Tode der Mutter deren jüngere Schwester, Karen Bjölstad. Sie ist es, die dem Heranreifenden einen geistigen Ausweg aus der schicksalhaften Umklammerung weist, indem

sie ihn zum Malen aneifert. Jenes frühe Miterleben des Todes aber bleibt für Jahrzehnte das zentrale Erlebnis Munchs, das seine ganze Empfindungswelt bestimmt. So ist es verständlich, daß er eine natürliche Neigung beweist, das Leben als Tragödie zu nehmen und den Schmerz zum Wurzelgrund seiner Kunst zu machen; denn der Schmerz ist furchtbar, aber zugleich fruchtbar, indem er immer von neuem den schöpferischen Willen entzündet. Ist es verwunderlich, wenn die Expressionisten in Deutschland in van Gogh, Munch und Dostojewski ihre Vorläufer sehen werden!
Die frühesten Bilder Munchs sind ungelenke Versuche, den eigenen äußeren Lebensraum abzutasten, in schwärzlichen Tönen gemalt wie die »Ardappeleters« des Vincent van Gogh. Die Familie und die Gesellschaft zeigen sich unfreundlich; niemand will solche Bilder erwerben. Eine Zeitlang arbeitet er bei Heyerdahl und Christian Krogh in Oslo, bis ihn der Kampf um Anerkennung, der keinem Künstler erspart bleibt, 1885 zum ersten Male nach Paris treibt. Er ist überzeugt, die vorurteilsfreie Atmosphäre in der Metropole der Moderne werde seiner Entwicklung förderlich sein. Munch bleibt aber nur drei Wochen in Paris, und wir wissen nichts Genaueres über diesen Aufenthalt, wir kennen nur das Ergebnis. So muß man annehmen, daß ihn die helle Palette der Impressionisten begeistert und er sich ihre Technik der Alla-prima-Malerei zu eigen gemacht habe, die ihm ein freieres Arbeiten mit leuchtenden Tönen unmittelbar auf weißem Grunde ermöglicht. Was er in Paris gelernt hatte, konzentriert der Heimgekehrte in einem Porträt des Malers Jensen-Hjell, das durch seine gelockerte Pinselführung die Empörung der landsmännischen Jury hervorruft. Wie ab-

sichtslos hingestrichene, aquarelldünn aufgetragene Farbströme umfließen die Gestalt. In diesem Bilde aber liegt auch schon das künftige Gesetz seiner Kunst vorgebildet: noch posiert der Dargestellte in einer kühnen Augenblickserfassung, dahinter jedoch wird eine Persönlichkeit sichtbar, die bis in die letzten Verborgenheiten eines Menschencharakters aufgedeckt wird: ein Bohemien.

Was in Paris sich im Künstlerischen und Menschlichen angebahnt hatte, vollendet sich in der Christiania-Bohème, im Kreis um den anti-bürgerlichen Dichter Hans Jaeger. Munch ist zu heftig gegen das seine Kunst ablehnende Bürgertum eingenommen, als daß er sich der Bohème hätte entziehen können, aber wiederum zu kritisch, als daß er in ihr steckengeblieben wäre, wie so viele andere. Immerhin hatte er in ihr gelernt, die eigene Herkunft zu vergessen und auf eigenen Füßen zu stehen, ehe er 1889 zum zweiten Male nach Paris geht.

Diesmal schreibt er sich bei Léon Bonnat ein und studiert Manet, Pissarro, Degas, Seurat und Signac; er lernt Toulouse-Lautrec und Gauguin kennen und sieht Bilder van Goghs. Er besitzt einen feinen Nerv für die malerischen Qualitäten der französischen Impressionisten, aber indem er ihren Problemen nachspürt, wird ihm die eigene innere Verschiedenheit und die Aufgabe, die ihm bevorsteht, bewußt. In seinem Tagebuch aus St. Cloud schreibt er: »Es sollen nicht mehr Interieurs mit lesenden Männern und strickenden Frauen gemalt werden. Es müssen Menschen sein, die atmen, fühlen und lieben. Ich werde eine Reihe solcher Bilder malen: man soll das Heilige dabei verstehen, und die Leute sollen den Hut davor abnehmen wie in einer Kirche.«

Seitdem weiß man, daß diese Bilder zwischen 1885 und 1890 ein Durchgang bleiben werden, ein Tribut an eine Sehweise, die dem eigenen Wesen fremd, dem eigenen Empfindungsstrom genau entgegengerichtet ist. Am meisten lebt Pissarro in diesen Bildern, Straßenausschnitten, in einer merkwürdig steilen Perspektive und in willkürlichem Rahmen gesehen, Bildern mit Badenden, die aber mehr die Luft, das Wasser und seine Bewegung schildern als die Menschen. Die Hand ist bemüht, nur zu geben, was das Auge wahrhaben will.
In diesem wichtigen Jahre 1889 gewinnt Munch die Idee zum »Lebensfries«; er wird der künstlerische Niederschlag seiner Philosophie in der ersten Lebenshälfte sein, an dem er zwanzig Jahre arbeiten wird. Es sind die beiden entscheidenden Jahrzehnte im Werk Munchs. Über den geplanten Zyklus schreibt er selbst: »Er ist als eine Reihe zusammengehöriger Bilder gedacht, die gesamthaft ein Bild des Lebens geben wollen. Durch den ganzen Fries hindurch zieht sich die weitgeschweifte Strandlinie, hinter welcher das ewigbewegte Meer brandet; unter Baumkronen atmet das vielfältige Leben mit seinen Sorgen und Freuden. Der Fries ist als ein Gedicht vom *Leben,* von der *Liebe* und vom *Tod* empfunden.«
Den gebieterischen Aufruf hierzu empfängt Munch in einem Augenblick, da sein Leben eine entscheidende Wendung nimmt. Er entzieht sich dem lauten Osloer Kreis und erwirbt in Aasgaardstrand ein kleines Haus; es ist eine unscheinbare Besitzung, aber von hier schweift der Blick über den Fjord und die eigenartig geformte Strandlinie, wie sie in vielen seiner Bilder erscheint. Hier entstehen in klarsichtigen Winternächten jene düster-feierlichen Landschaften mit dem weiten Horizont und den gespenstischen Baumkörpern. Ein

bleicher Mond steht über dem Fjord oder blutrote Feuerstreifen jagen über den Nachthimmel. Einmal fegt eine Gestalt über den Laufsteg, nicht erkennbar, ob Mann oder Weib, mit schreiendem Mund, die Augen in Entsetzen geöffnet, die Hände an die Ohren gepreßt; unter ein Blatt der Lithographie »Geschrei« schreibt Munch: »Ich fühlte das große Geschrei durch die Natur.«
Was in den Porträts und Genreszenen der achtziger Jahre leise mitschwang, weil es unbewußt erahnt wurde, in diesen Bildern wird es bewußt gestaltet und offenbar: das geheimnisvolle Innen- und Ineinanderleben der Natur und alles Kreatürlichen. Ist nicht der Baum, der sich in den Nachthimmel türmt, die blauschwarze Silhouette vor dem Horizont, der Berg, der sich im Fjord spiegelt, im Grunde nur ein Gleichnis der menschlichen Seele, die ahnungsvoll um das ewige Geheimnis kreist: Was ist das Leben? Der Fjord ist ein lebendiges Fossil, das sich seit Jahrtausenden nicht mehr veränderte; der nordische Wald starrt von Schwermut und Geheimnis, das Meer gleitet hinweg ins Ungewisse und die Menschen, die an seinem Strand wohnen, sind schweigsam wie im Sterbezimmer und einsam wie Hamsuns Glahn; sie leben wie an Abgründen des Lebens. So offenbart sich Munch die nordische Seele. Er selbst ist Prometheus, an das Gebirge des Lebens geschmiedet, den gefräßigen Adler an der Brust.
Der Tod bleibt das Unsagbare. Einst war er die gelbe Blässe einer Mädchenblüte, die dem Frühling entgegenstirbt, jetzt starrt er nur noch aus verzweifelten Augen im Sterbezimmer. Immer heftiger verbindet sich die Vorstellung an ihn mit derjenigen an die Frau, die seiner Mutter ähnelt; sie lächelt im Tode wie in höchster Lust.

Auf der anderen Seite stehen die Bilder des Lebens. Es beginnt mit dem Kuß in der Sommernacht; zwei Menschen verschmelzen zu einem Wesen. Die Liebe aber erfüllt sich nicht in freier Hingabe, sie ist der Zwang des Schicksals, der zueinandertreibt. Das Schicksal hängt über dem Menschengeschlecht wie der Schatten über dem Mädchen, das auf dem Bettrand kauert und in heimlicher Angst seine Glieder befühlt; es steht hinter den »Zwei Menschen« (Abb. 37), welche dem Meere, das an keinen Horizont reicht, entgegenschreiten. Der Künstler braucht keine Geschichten erfinden, um Anziehung, Hingabe, Enttäuschung, Eifersucht und Loslösung in Bildern zu gestalten. Munch malt den Freund Jappe Nilssen vor violettem Abendhimmel am Fjord; er malt ihn, im wirren Geröll sitzend, das Kinn in die Hand gestützt; ein gelbes Boot stößt vom Strand. Die Szene wird dem Maler zur »Melancholie« (Abb. 7). Dann belebt sie sich, füllt sich mit Menschen und Tanz; es ist Sommernacht, und die Liebe blüht; in Kleidern und Mündern flammt glühendes Rot; die Paare drehen sich im »Tanz des Lebens«: Es ist eine Darstellung der Begierden, Leidenschaften und Freuden, die unser Leben bestimmen. Ein anderes Mal sind es drei Mädchen auf einer Brücke, die ins Wasser starren; sie werden den dunklen Sinn ihres dahineilenden Lebens nicht ergründen.
Das sind Munchs Erlebnisse vor der Landschaft von Aasgaardstrand. Ihre Linien werden Leitlinien seines Werks. Wenn er über den Fjord blickt, sucht sein Auge die Sonne; steht sie im Westen über dem schwarzen Granithügel, wendet er sich ab. »Mich friert's, wenn ich die Sonne untergehen sehe, alles wird so still; ich sehe nicht gerne jemand sterben.«
Eine Reihe bedeutender Bilder aus dem »Lebensfries« ist dem

Weibe und dem Verhältnis der Geschlechter gewidmet. Munchs hohe, schlanke Erscheinung übte auf die Frauen jederzeit eine starke Wirkung aus; dennoch zog er sich vor ihnen zurück. Für ihn ist die Frau das große Rätselhafte, die Sphinx, die Wandelbare, die er nicht zu durchschauen vermag, oder auch ein Vampir, der das Blut des Mannes saugt und seine Kräfte vergeudet. Man weiß, daß diese Einstellung auf eine Erschütterung in der Bohème-Zeit zurückführt, die er niemals ganz überwunden hat. Er lehnte für sich auch die Ehe ab; er fürchtete für sein Selbst-Sein und sein Werk. In einer Radierung hat Munch das Weib in der Umarmung mit dem Tode dargestellt (Abb. 15).

Je tiefer ein Künstler im seelischen Bereich beheimatet ist, desto weiter wird er sich im Bildnis von der fotographischen Wiedergabe seines Modells entfernen. Munch mußte die Möglichkeit zur Menschenschilderung in besonderem Maße willkommen sein. Seine Porträts dieser Jahre – Ibsen (Abb. 9), Strindberg (Abb. 30), Mallarmé (Abb. 16), Kollmann (Abb. 4) u. a. – sind »Deutungen« wie diejenigen Kokoschkas. Vor ihnen wie vor den Bildnissen van Goghs begreift man zuerst das »Erlebnis vor der Leinwand« als das Entscheidend-Bewegende; denn nur in leidenschaftlicher Erregung vermag Munch die sich selbst gestellte Aufgabe zu lösen: aus dem Realistisch-Erschaubaren das Charakteristisch-Individuelle im äußeren Habitus eines Menschen sichtbar werden zu lassen, das Körperliche transparent zu machen und das Seelische zugleich durch die Farbe sinnlich anzudeuten. Manets »Zola« ist ein wundervolles Stück Malerei und ein ebenso hervorragendes Beispiel spätbürgerlicher Bildniskunst. Aber das Bedeutsame dieser Persönlichkeit endet in den Valeurs, und die avantgardistischen Ambitionen des Schriftstellers sind ohne die Attribute im Hintergrund – Manets »Olympia« und die Japandrucke – nicht zu definieren. Munchs »Strindberg« hingegen ist ein Stück psychologischer Analyse, aus einer verwandten Seelenhaltung gewonnen und Strich für Strich in eine Technik übersetzt, die hier den Charakter einer unmittelbaren Niederschrift erhält. Haben wir uns nicht gewöhnt, August Strindberg nur noch mit den Augen Munchs zu sehen?

Munch beginnt bald damit – und das liegt schon in der zum Zyklus drängenden Idee des Frieses begründet –, seine Bildvorwürfe auch in die graphischen Techniken zu übertragen. Graphische Blätter eines Ideenkreises lassen sich mühelos zusammenfügen, Lücken leichter füllen, wenn die erste Gestaltung eines Bildgedankens in dem bescheidenen Format einer Kupferplatte oder eines lithographischen Steines gelungen ist. So sind Munchs Graphiken zum Teil Wiederholungen nach Gemälden, zum Teil selbständige Bearbeitungen eines Themas.
In Paris hatte er die nach dem Tode Manets erstmals veröffentlichten Drucke dieses Künstlers bewundert. Seine ersten eigenen Platten erscheinen im Jahre 1894, mit den feinsten Nuancen des Grau geschaffene Kaltnadelblätter, deren malerische Tonigkeit oft noch durch Aquatinta gesteigert wird. Das Erstaunliche dabei bleibt die Spontaneität, mit welcher – wie übrigens bald auch in der Lithographie und im Holzschnitt – die jeweils neue Technik erobert, und die Sicherheit, mit welcher sie in kürzester Zeit zur Meisterschaft geführt wird. Der trockene Akademiker Köpping in Berlin

hatte die ersten Unterweisungen gegeben, und noch im gleichen Jahre entstehen Blätter wie »Das Mädchen und der Tod« (Abb. 15), »Vampir« (Abb. 21), »Trost« (Abb. 39), im folgenden so vollendete Werke der Radierkunst wie »Der Tag danach« (Abb. 27), »Zwei Menschen« (Abb. 37) und »Der Kuß« (Abb. 2). Acht der für Munch bezeichnendsten Radierungen gibt Meier-Graefe in einem Mappenwerk heraus; sie bleiben jahrelang unverkäuflich.

Kann man die Empfindsamkeit, mit welcher hier die zeichnende Hand das Kupfer behandelt, noch als Befangenheit im Lyrischen deuten, so ändert sich dieser Eindruck vor den Lithographien, die sich dem Beschauer mit bestürzender Unmittelbarkeit erschließen und den dramatisch-tragischen Grundzug der Kunst Munchs weitaus deutlicher offenbaren. Der feingekörnte Stein setzt der darübergleitenden Hand keinerlei Widerstände entgegen, der künstlerische Impuls bleibt so am ehesten unverfälscht. Der größere Umfang der Platten und die Empfindlichkeit, mit welcher der Stein auf jeden Reiz durch den Stift oder den Pinsel antwortet, vor allem auch die Möglichkeit, Formen mit breitem Pinsel zusammenzuraffen, abzukürzen und so die Realitäten des Bildes an eine knappe Formel zu binden, fördern die dramatische Unmittelbarkeit dieser Blätter. 1895 entsteht das »Geschrei« (Abb. 14); 1896 das zauberhafte farbige Blatt »Das kranke Mädchen« (Abb. 20), in dem das so schwierige Verfahren des Farbdrucks von mehreren Platten im ersten Anlauf mit bewundernswertem Elan bewältigt wird. Die sorgfältig gewählten Töne von Grau, Grün, Violett und Rosa verdecken hier den morbiden Geruch des Sujets ebenso behutsam wie in den gewagtesten Décors des Toulouse-Lautrec, dessen Figu-

rinen der »Comédic Francaise«, »Variétés«, des »Moulin Rouge« Munch längst vertraut waren, wie übrigens auch die lithographierten Zeichnungen von Degas oder die magischen Visionen des Odilon Redon; und man wird nicht fehlgehen, wenn man hier die Vorbilder für das eigene technische Raffinement sucht, dem der Pariser Meisterdrucker Clot, der bevorzugte Spezialist der Mitglieder der »Estampe originale«, die letzte Steigerung hinzufügte.
Es entspricht der Logik seiner Entwicklung, wenn Munch die Technik des Holzschnitts zuletzt für sich entdeckt, dann nämlich, wenn die bis zu formelhafter Abstraktion vorgetriebenen Formen seines gleichzeitigen Tafelbildes die lapidare Unmittelbarkeit des Holzstocks geradezu verlangen. Und was entspräche den leuchtenden Komplementärfarben gewisser Kompositionen mehr als die heftige Kontrastierung des Schwarz-Weiß? Der Historiker, der die Geschichte des Holzschnitts um die Jahrhundertwende verfolgt, wird Munchs Leistung für den modernen Holzschnitt nicht leicht überschätzen. Gewiß, Gauguin war vorausgegangen, hatte den Weg von der Xylographie des 19. Jahrhunderts zurück zum Flächenschnitt gezeigt; aber seine Experimente waren in den Mappen weniger Sammler verschwunden; und Valloton und die Japaner verführten zum Kunstgewerbe, dem auch Munch nicht immer entgangen ist, wie die spätere Holzschnittfassung »Der Kuß« (Abb. 43) beweist. Welche Freude zu sehen, wie der Norweger mit einfachem Schreinerwerkzeug gewöhnliche Tannenbretter bearbeitet. Wenn Munch eine Platte schneidet, folgt er oft nicht einmal einer vorbereitenden Zeichnung, ja er kann seine Freunde überraschen, indem er sie porträtiert, während er zugleich von gleichgül-

tigen Dingen mit ihnen spricht. Manchmal zersägt er einzelne Stöcke, um die gewonnenen Teilstücke in verschiedenen Farben drucken zu können. Maserung und Sägeschnitt des Holzes geben eine willkommene Flächenbelebung, welche die künstlerische Absicht unterstützt. Den lebensgroßen, bärtigen Kopf des »Urmenschen« (Abb. 33), den Munch 1905 schuf, bezeichnete Curt Glaser als »das vollendetste Kunstwerk des neuen Holzschnitts«. Nolde, Barlach, Ernst Ludwig Kirchner und die anderen Meister der »Brücke« werden von diesen Blättern lernen.

Munchs Produktivität ist erstaunlich: neben weit über 1000 Ölbildern und den Wandgemälden in der Osloer Universität schuf er 800 Radierungen, Lithographien und Holzschnitte und rund 4500 Aquarelle und Handzeichnungen, die heute noch wenig bekannt sind. Die Zahl der Abzüge seiner gedruckten Blätter darf man mit 50 000 beziffern. Unter diesen Graphiken befinden sich Werke ersten Ranges, Skizzen und flüchtigste »Anmerkungen«. Gewöhnlich trug er eine polierte Kupferplatte bei sich in der Tasche, um sie zur Hand zu haben, wenn ihn die Arbeitslust überkam.

Munchs wirtschaftliche Lage bessert sich im gleichen Maße, wie eine gewisse Richtung der norwegischen Presse ihr Mißfallen äußert. Im Jahr 1902 kann er sein »Epos vom Seelenleben des modernen Menschen« in der Berliner Sezession ausstellen. Er malt für Max Reinhardt eine kleine Fassung vom »Lebensfries«, eine andere für den Sammler Dr. Linde in Lübeck. Er ist unermüdlich, arbeitet im Winter in Berlin, Warnemünde, Weimar oder in Paris, den Sommer über in der heimatlichen Landschaft, in Aasgaardstrand. Die Rastlosigkeit, mit der er seine Aufgabe verfolgt, ruiniert seine

Gesundheit, so daß er im Jahre 1908 die Nervenklinik des Dr. Daniel Jacobsen in Kopenhagen aufsuchen muß. Hier befreit er sich von den quälenden Gesichten, die ihn ein halbes Leben lang bedroht hatten. Daß er hierzu die Kraft besitzt und sie durchhält, ist – am Schicksal van Goghs oder Gauguins gemessen – wie ein Wunder. Als letzte Auseinandersetzung mit den Mächten des Dunkels schreibt er die Legende »Alpha og Omega« (Abb. 28/29) nieder, die er mit Lithographien illustriert. Es ist eine Geschichte von der Untreue des Weibes, durch die das Unglück in der Welt entsteht.
Munch ist fünfundvierzig Jahre alt; von nun an wird sich seine Kunst in der Schilderung des einfachen, gesunden, kraftvollen Daseins erfüllen: Bauern auf dem Felde, Säegang und Ernte, weidende Pferde, heimkehrende Fischer und Arbeiter und großgesehene, in leuchtenden Farben prangende Landschaften sind die immer wieder abgewandelten Vorwürfe. Wenn hin und wieder in einem Bilde Erinnerungen an die Themen aus dem Lebensfries auftauchen, gelten sie rein technischen oder künstlerischen Problemen, nicht dem Inhalt. Als er in den Jahren 1909 bis 1911 in der Aula der Osloer Universität Wandbilder malt, entwirft er für die Hauptwand ein Bild der Sonne, wie sie vor ihm niemand gemalt hat: Es ist ein Bild des reinen Lebens, ohne Figuren, das Bild des Gestirns selbst.
Im Jahre 1916 erwirbt Munch das Gut Ekely in Sköjen, in idyllischer Umgebung am Rande Oslos gelegen. Hier lebt er bis zu seinem Tode. Seine Idee ist, hier seinen Lebensfries vollständig um sich zu versammeln. Und er zählt nach und nach alle wichtigeren Bilder dazu. Was veräußert ist und

sich nicht mehr zurückerwerben läßt, wird wiederholt. Wie Cézanne arbeitet Munch dauernd an seinen Bildern.
Alle Jahre prüft er seine Züge im Selbstporträt, mit dem Pinsel, mit dem Stift oder der Radiernadel. In den Bildnissen seiner Mannesjahre sieht er sich immer älter, als wolle er sich mit dem Gedanken an den Tod frühzeitig vertraut machen. Die erschütterndsten seiner Selbstdarstellungen sind die von 1919 und 1940. Als er 1919 an der spanischen Grippe erkrankt ist, malt er sich, kaum dem Tode entronnen, im Lehnstuhl sitzend, mit schütterem Haar und toten Augen vor dem aufgeschlagenen Bett, die Bettdecke wie zum Körper eines hinter ihm lauernden gefährlichen Tiers zusammengeknüllt. »Wirkt es übel?« fragt er einen Besucher. »Wie meinen Sie?« »Spüren Sie den Geruch?« »Den Geruch?« »Ja sehen Sie denn nicht, daß ich nahe daran bin, zu verwesen?« Auf dem Bilde von 1940 steht ein hilfloser Greis, die Augen nach innen gerichtet, mit hängenden Armen und kraftlos eingeknickten Knien neben einer Standuhr im Schlafzimmer. Die grobgemusterte Decke sieht aus wie ein Bahrtuch; an der Wand hängt, lebensgroß, ein Frauenakt. In diesem Bilde ist mehr vom Tode, als den Malern früherer Jahrhunderte mit der Symbolgestalt des Knochenmannes auszudrükken gelang. Sterben heißt sich-selbst-entgleiten, zusammenfallen, verwesen. Zu seinem Vertrauten, Rolf Stenersen, äußert er sich einmal: »Sterben ist vielleicht, wie wenn einem die Augen gestochen würden und man nichts mehr sieht. Vielleicht ist es, wie in einen Keller gesperrt zu werden. Man ist von allen verlassen; sie haben die Tür zugeschlagen und sind fortgegangen. Man sieht nicht mehr und spürt nur noch den feuchten Leichenhauch.«

Wer sich wie Munch in den Tod hinüberlebt, wird nicht überrascht, wenn die Stunde schlägt. Um Weihnachten 1943 wird Oslo von heftigen Detonationen erschüttert, die von einem explodierenden Sprengstoffstapel im Hafen herrühren. Der Greis auf Ekely sucht Zuflucht im Keller. Wenige Stunden später ist er bettlägerig; er hatte sich erkältet. Am 23. Januar 1944 stirbt Munch an einem Herzschlag. Seine Asche wird in einem Urnenhain des Erlöserfriedhofs in Oslo beigesetzt.

Die Kunst Edvard Munchs ist ein neuer Anfang in einer Zeit überholter und abgelebter Inhalte; sie ist die Wiedergeburt der Phantasie und die Gewinnung eines neuen künstlerischen Mediums zur Gestaltung der Erfahrungen im Bereich der menschlichen Seele, eine Pioniertat auf dem Wege zu einer neuen Lebensform. Wäre seine schöpferische Kraft um ein geringes kleiner gewesen, er hätte sich mit der Rolle eines Gesellschaftsmalers, im besten Falle eines Gesellschaftskritikers begnügt, ein Ibsen der Farbe und der Linie. Er aber griff höher, ihn bewegte wieder die ewige Frage nach dem Sein und Sinn. Es ist die gleiche Frage, die dem unglücklichen Paul Gauguin zu ebenderselben Zeit auf einer fernen Südseeinsel den Bildtitel eingab: »Woher kommen wir? Was sind wir? Wohin gehen wir?« Hier, in den Bildern zum »Lebensfries«, hat Munch eine Antwort gegeben; und es war schwer, in einer Sprache zu antworten, welche die Laute für den Bereich des inneren Daseins durch nahezu zwei Generationen unterdrückt hatte. Munch hat diese Laute wieder belebt und zugleich die ersten Kunstwerke in der neuen Sprache geschaffen, die sein erster Interpret, Stachu Przybyszewski, den »Naturalismus der Seele« nannte. Daß ihm dies mit eigenen formalen Mitteln gelang und ohne verbrauchte Symbole zu bemühen, ist ein letzter Beweis für die Genialität ihres Erfinders.

Herrn Harald Holst Halvorsen, Oslo, ist der Verlag für seine liebenswürdige Unterstützung beim Zustandekommen dieses Bändchens sehr dankbar.

1 *Madonna (Dame mit Brosche)*

2 *Der Kuß*

3 *Das kranke Mädchen*

4 Bildnis des Herrn Kollmann

5 *Mädchenkopf*

6 Sphinx

7 *Melancholie*

8 Gespenster

9 Ibsen im Café des Grand Hotel in Christiania

10 *Christiania-Bohème*

11 *Eifersucht*

12 Lübeck

13 *Das Haus*

14 Geschrei

15 *Das Mädchen und der Tod*

16 Stéphane Mallarmé

17 *Das junge Modell*

18 Tigerkopf

19 Mandrill

20 *Das kranke Mädchen*

21 *Vampir*

22 Meer-
landschaft

23 Sturmnacht

24 Todeskampf

25 *Sterbezimmer*

26 Kämpfe

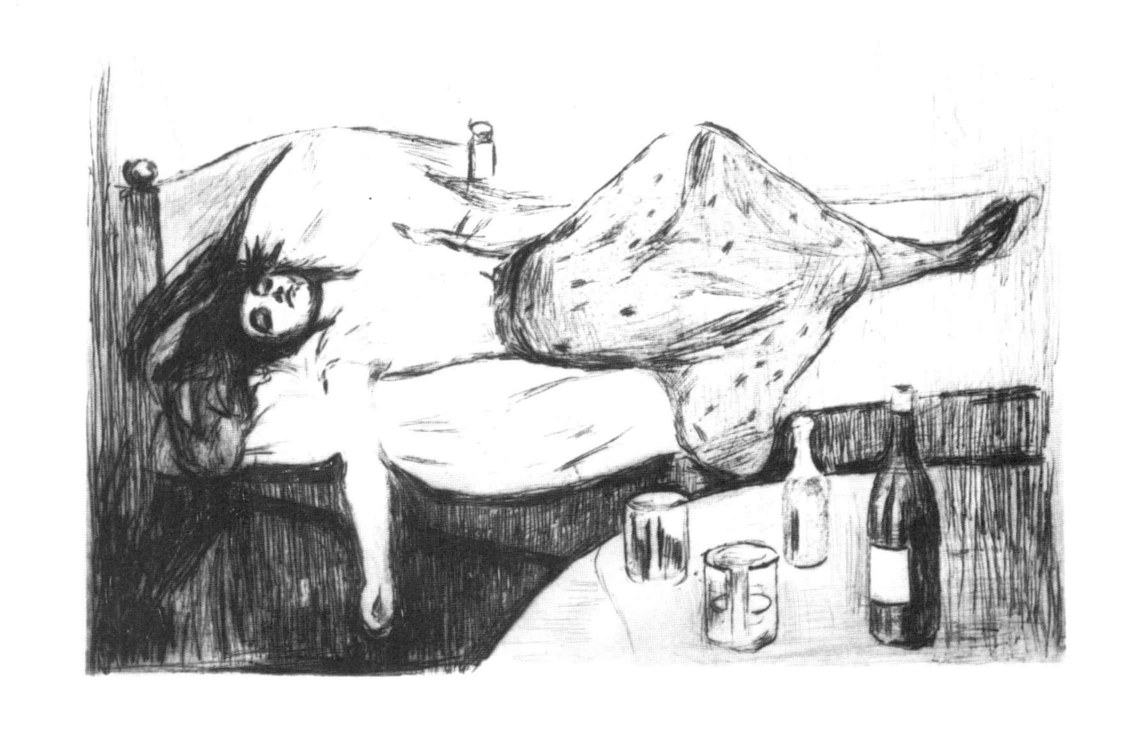

27 *Der Tag danach*

28 Der verzweifelte Alpha

29 *Omega und der Bär*

30 *August Strindberg*

31 *Angstgefühl*

32 *Der Wanderer*

33 *Der alte Mann (Der Urmensch)*

34 Tingeltangel

35 *Hochzeit des Bohemien*

36 Loslösung

37 Zwei Menschen (Die Einsamen)

38 Sommernacht
(Die Stimme)

39 Trost

40 Die letzte Stunde

41 Menschengruppe auf einem Platz

42 Gebet des alten Mannes

43 Der Kuß

44 Schneearbeiter

45 *Mädchen auf der Brücke*

Bilderverzeichnis

Vignetten im Text:

Der alte Schiffer, Holzschnitt (Seite 5)
Totenhand, Federzeichnung (Seite 21)

Bildteil:

1 *Madonna (Dame mit Brosche) 1903, Lithographie*
2 *Der Kuß 1895, Kaltnadelradierung und Aquatinta*
3 *Das kranke Mädchen 1894, Kaltnadelradierung*
4 *Bildnis des Herrn Kollmann 1902, Kaltnadelradierung*
5 *Mädchenkopf 1902, Kaltnadelradierung*
6 *Sphinx 1899, Lithographie*
7 *Melancholie 1901, Holzschnitt in mehreren Farben*
8 *Gespenster 1920, Lithographie*
9 *Ibsen im Café des Grand Hotel in Christiania 1902, Lithographie*
10 *Christiania-Bohème 1895, Ätzung*
11 *Eifersucht 1896, Lithographie*
12 *Lübeck 1903, Ätzung*
13 *Das Haus 1902, Ätzung*
14 *Geschrei 1895, Lithographie*
15 *Das Mädchen und der Tod 1894, Kaltnadelradierung*
16 *Stéphane Mallarmé 1896, Lithographie*
17 *Das junge Modell 1894, Lithographie*
18 *Tigerkopf 1909, Lithographie*
19 *Mandrill 1909, Lithographie*
20 *Das kranke Mädchen 1896, Lithographie in mehreren Farben*

21 *Vampir 1895, Lithographie und Holzschnitt kombiniert*
22 *Meerlandschaft 1899, Holzschnitt*
23 *Sturmnacht 1908/09, Holzschnitt*
24 *Todeskampf 1896, Lithographie*
25 *Sterbezimmer 1896, Lithographie*
26 *Kämpfe, um 1905, Ätzung*
27 *Der Tag danach 1895, Kaltnadelradierung und Aquatinta*
28 *Der verzweifelte Alpha 1909, Lithographie*
29 *Omega und der Bär 1909, Lithographie*
30 *August Strindberg 1896, Lithographie*
31 *Angstgefühl 1896, Lithographie*
32 *Der Wanderer (Der Lumpensammler), Holzschnitt*
33 *Der alte Mann (Der Urmensch) 1905, Holzschnitt*
34 *Tingeltangel 1895, Lithographie*
35 *Hochzeit des Bohemien 1926, Lithographie*
36 *Loslösung 1896, Lithographie*
37 *Zwei Menschen (Die Einsamen) 1895, Kaltnadelradierung*
38 *Sommernacht (Die Stimme) 1895, Kaltnadelradierung*
39 *Trost 1894, Kaltnadelradierung mit Aquatinta*
40 *Die letzte Stunde 1921, Holzschnitt*
41 *Menschengruppe auf einem Platz, Holzschnitt*
42 *Gebet des alten Mannes 1902, Holzschnitt*
43 *Der Kuß 1902, (4. Fassung), Holzschnitt in mehreren Farben*
44 *Schneearbeiter, Holzschnitt*
45 *Mädchen auf der Brücke 1920, Holzschnitt*

Für die Reproduktiongenehmigung dankt der Verlag dem Munch-museet, Oslo.

Die Fotovorlagen für die Bilder 3, 4, 5, 13, 19 und 31 stammen von der Hamburger Kunsthalle.

Piper Galerie

Marc Chagall · Arabische Nächte
26 Lithographien zu 1001 Nacht. Einführung von Kurt Moldovan.
13 Farbtafeln, 13 einfarbige Abbildungen. 47 S. Lam. Ppb.

Lyonel Feininger · Aquarelle
Einführung von Alfred Hentzen. 16 Farbtafeln, 4 einfarbige Abbildungen.
51 S. Lam. Ppb.

August Macke · Aquarelle
Nachwort von Wolfgang Macke. 16 Farbtafeln. 49 S. Lam. Ppb.

Franz Marc
Botschaften an den Prinzen Jussuff
Mit einem Geleitwort von Maria Marc und einem Essay von Georg Schmidt »Über das Poetische in der Kunst Franz Marcs«. 14 Farbtafeln.
56 S. Lam. Ppb.

Edvard Munch · Lebensfries
46 Graphiken. Mit einer Einführung von Walter Urbanek. 63 S. Lam. Ppb.

Emil Nolde · Aquarelle
Nachwort von Günter Busch. 16 Farbtafeln. 5 einfarbige Abbildungen.
50 S. Lam. Ppb.

Pompeji
Zeugnisse griechischer Malerei. Aufnahmen von Walter Dräyer.
Auswahl und Einführung von Karl Schefold. 19 Farbtafeln. 48 S. Lam. Ppb.

Christian Rohlfs · Blätter aus Ascona
16 Tempera-Arbeiten. Mit einem Geleitwort von Helene Rohlfs und einer Einführung von Paul Vogt. 16 Farbtafeln. 53 S. Lam. Ppb.